SAVAIS-TU?
Les Diables de Tasmanie

SAVAIS-TU ?
Les Diables de Tasmanie

Alain M. Bergeron
Michel Quintin
Sampar

Illustrations de Sampar

ÉDITIONS
MICHEL
QUINTIN

**Catalogage avant publication de Bibliothèque et Archives
nationales du Québec et Bibliothèque et Archives Canada**

Bergeron, Alain M.

Les diables de Tasmanie

(Savais-tu?)
Éd. originale: 2008.
Pour enfants de 7 ans et plus.
ISBN 978-2-89435-503-9

1. Diable de Tasmanie - Ouvrages pour la jeunesse. 2.
Diable de Tasmanie - Ouvrages illustrés - Ouvrages pour la
jeunesse. I. Quintin, Michel. II. Sampar. III. Titre. IV.
Collection: Bergeron, Alain M.. Savais-tu?.

QL737.M33B47 2011   j599.2'7   C2010-942456-5

Le Conseil des Arts du Canada
The Canada Council for the Arts

SODEC
Québec

Patrimoine
canadien

Canadian
Heritage

La publication de cet ouvrage a été réalisée grâce au soutien
financier du Conseil des Arts du Canada et de la SODEC.
De plus, les Éditions Michel Quintin reconnaissent l'aide
financière du gouvernement du Canada par l'entremise du
Fonds du livre du Canada pour leurs activités d'édition.

Gouvernement du Québec – Programme de crédit d'impôt
pour l'édition de livres – Gestion SODEC

ISBN 978-2-89435-503-9

Dépôt légal – Bibliothèque et Archives nationales du Québec, 2011
Dépôt légal – Bibliothèque et Archives Canada, 2011

Éditions Michel Quintin
C.P. 340, Waterloo (Québec)
Canada J0E 2N0
Tél.:   450 539-3774
Téléc.: 450 539-4905
editionsmichelquintin.ca

11 - W K T - 1

Imprimé en Chine

Savais-tu que le diable de Tasmanie, aussi appelé sarcophile satanique, ne se rencontre que sur l'île de Tasmanie en Australie? La population est d'environ 100 000 individus.

Savais-tu que le diable de Tasmanie est un marsupial tout comme le kangourou, le wallaby, l'opossum et le koala ?

Savais-tu que chez ce mammifère, c'est une très courte gestation (un mois environ) qui s'opère dans l'utérus maternel?

Savais-tu que, tout comme les autres marsupiaux, le diable de Tasmanie donne naissance à des petits incomplètement développés et très différents de l'adulte?

Savais-tu que la femelle peut mettre au monde de 30 à 50 petits par portée? Chacun a environ le même poids que 10 grains de riz.

Savais-tu que dès sa naissance, le petit prématuré se dirige, depuis l'ouverture urogénitale, vers l'une des quatre mamelles de sa mère qui sont situées à l'intérieur d'une poche ventrale appelée marsupium ou poche marsupiale?

Savais-tu que ce petit diable de Tasmanie aveugle va ensuite tenter d'atteindre un mamelon en effectuant une espèce de nage à travers le poil de sa mère? C'est d'instinct qu'il parvient à repérer le marsupium.

Savais-tu que dès leur arrivée dans la poche marsupiale, les petits devront lutter pour s'approprier un mamelon ? Seulement quatre auront une chance de se nourrir, donc de survivre.

Savais-tu qu'une fois que les nouveaux-nés sont accrochés à une tétine, celle-ci gonfle de manière à les maintenir fermement en place par la

bouche? C'est la mère elle-même qui projette, de façon continue, le lait dans la bouche du nourrisson qui n'a pas la force de téter.

Savais-tu que les petits vont ainsi rester fixés à un mamelon pour les 100 jours à venir, soit pendant tout leur développement embryonnaire? Ensuite seulement, ils seront capables d'ouvrir la bouche et de s'éloigner.

Savais-tu que contrairement au kangourou dont la poche marsupiale s'ouvre vers l'avant, celle du diable de Tasmanie s'ouvre vers l'arrière?

Savais-tu qu'à l'âge de quatre mois environ, les jeunes quittent le marsupium et n'y reviennent plus ? Plus tard, lorsque leur mère s'éloignera, ils resteront plutôt dans un abri.

Savais-tu que c'est vers l'âge de 10 mois que les jeunes diables de Tasmanie quittent définitivement leur mère? Moins de la moitié d'entre eux survivront au premier mois de séparation.

Savais-tu que les jeunes grimpent très bien aux arbres, mais qu'à l'âge adulte, ils sont maladroits ? Ce sont de bons nageurs ; ils peuvent aussi courir à une vitesse de 13 kilomètres à l'heure sur plusieurs kilomètres.

Savais-tu que le diable de Tasmanie est le plus grand marsupial carnivore au monde? Il consomme surtout de la charogne, peu importe son état de putréfaction, jouant ainsi un rôle sanitaire non négligeable dans son environnement.

C'EST CURIEUX, J'AI L'IMPRESSION D'OU-BLIER QUELQUE CHOSE...

Savais-tu qu'il chasse aussi des mammifères, des oiseaux, des poissons, des reptiles, des invertébrés, enfin, tout ce qu'il trouve ?

IL ME MANQUE QUELQUE CHOSE... MAIS QUOI?

ZZZ

JE SAIS !!! LE KETCHUP!

Savais-tu que les diables de Tasmanie peuvent ingurgiter jusqu'à 40 %
de leur poids en 30 minutes, s'ils en ont l'occasion ? Un tel festin ne va
cependant pas les rassasier pour plus de 2 ou 3 jours.

Savais-tu que c'est dans leur queue qu'ils emmagasinent leur graisse corporelle? Une grosse queue est généralement signe d'un individu en bonne santé.

Savais-tu que le diable de Tasmanie a un poids maximal de 12 kilos ?
Chez les vieux mâles, la large tête et le cou massif peuvent représenter
jusqu'au quart de leur poids total.

Savais-tu que, proportionnellement à sa taille, il est le mammifère dont les mâchoires sont les plus puissantes ? Équipé en plus de dents acérées, il peut broyer les os les plus gros.

Savais-tu qu'en plus de la viande et des viscères, il mâche et avale les os et la fourrure? Il élimine ainsi toute trace d'une carcasse.

Savais-tu que, longtemps considéré comme une menace pour le bétail (le mouton surtout), il a été chassé impitoyablement jusqu'à ce qu'il soit protégé en 1941 ?

Savais-tu que lorsqu'ils sont dérangés, les diables de Tasmanie réagissent en grognant et en crachant de colère? Leurs petites oreilles, quant à elles, virent progressivement au rouge.

Savais-tu que malgré cela, les diables de Tasmanie sont d'un tempérament timide? Ils préfèrent fuir les autres animaux plutôt que de se battre.

Savais-tu que lorsqu'ils sont stressés, ils produisent une forte odeur rivalisant avec celle de la mouffette ? Ils ne dégagent pas cette odeur quand ils sont calmes.

Savais-tu que ces animaux nocturnes sont en général solitaires ?
Par contre, un repas peut réunir une dizaine d'individus autour
d'une carcasse.

POURRAIS-TU ÉVITER DE PARLER LA BOUCHE PLEINE, S'IL TE PLAÎT...
RESTONS POLI, IL N'A PAS DE BOUCHE, IL A UNE GUEULE!

Savais-tu que lorsqu'il est en concurrence avec un de ses congénères, pour s'approprier une proie par exemple, le diable de Tasmanie va s'efforcer d'intimider ce dernier en adoptant différentes postures ?

Il peut, entre autres, ouvrir bien grande sa gueule afin d'exhiber ses dents impressionnantes.

Savais-tu qu'il va aussi tenter d'intimider son rival en émettant des sons? Il peut émettre toute une série de vocalisations : aboiements, grondements, cris stridents, etc.

Savais-tu que c'est, entre autres, son hurlement fort et inquiétant qu'on entend à des kilomètres à la ronde qui lui a valu sa mauvaise réputation ? Son tempérament agressif envers ses congénères quand il mange y a aussi contribué.

SAVAIS-TU qu'il y a d'autres titres?

Les Dinosaures

Les Rats

Les Piranhas

Les Crocodiles

Les Sangsues

Les Crapauds

Les Serpents

Les Corneilles

Les Scorpions

Les Hyènes

Les Caméléons

Les Goélands

Les Pieuvres

TOUT EN **COULEURS**